D0504755

le poivron

fruit du soleil

Vous aimez les goûts simples, la saveur
vraie des produits qui font chaque jour
le bonheur de vos convives ?
Vous aimez les belles histoires,
celles où l'on découvre avec étonnement
la face cachée de produits que l'on côtoie
au quotidien ?
Vous aimez les recettes savoureuses
mais faciles à préparer ?
En 2004 vous serez comblés. La nouvelle
collection exclusive que nous avons
préparée à votre intention sera chaque
mois un moment de bonheur à partager
en famille ou entre amis…
En 14 volumes, de la pomme de terre
à la coquille Saint-Jacques, je vous souhaite
bonne lecture et surtout bon appétit.

Roland Tchénio,
Président de Toupargel - Agrigel

SOMMAIRE

< Le poivron, un légume qui ne manque pas de piment >

Membre discipliné de la famille explosive des piments, celui que l'on appelle communément poivron est en réalité un piment doux. Tous deux étant issus d'une seule et même plante, seules leur taille, leur forme, leur saveur plus ou moins piquante et leur palette de couleurs les distinguent. Alors, frères botaniques, certes, mais entre la saveur douce du poivron et le piquant du piment, il y a un monde, voire un Nouveau Monde. Celui d'où Christophe Colomb (encore lui !), au XVIe siècle, nous ramena de Cuba cet étrange "poivre long" qui devint poivron.

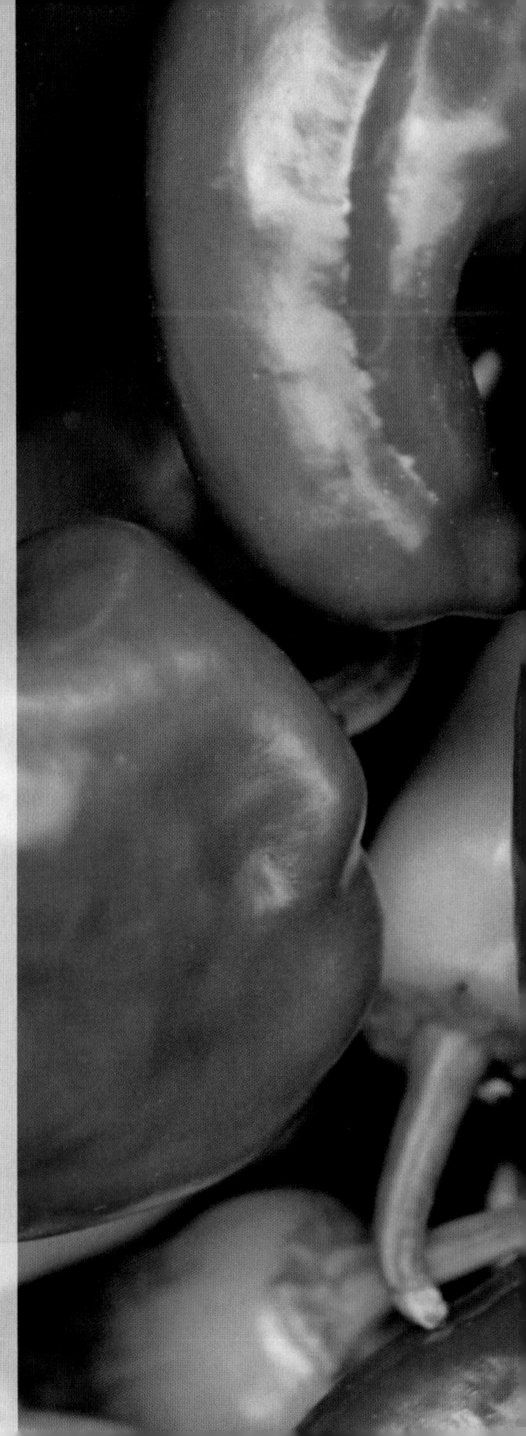

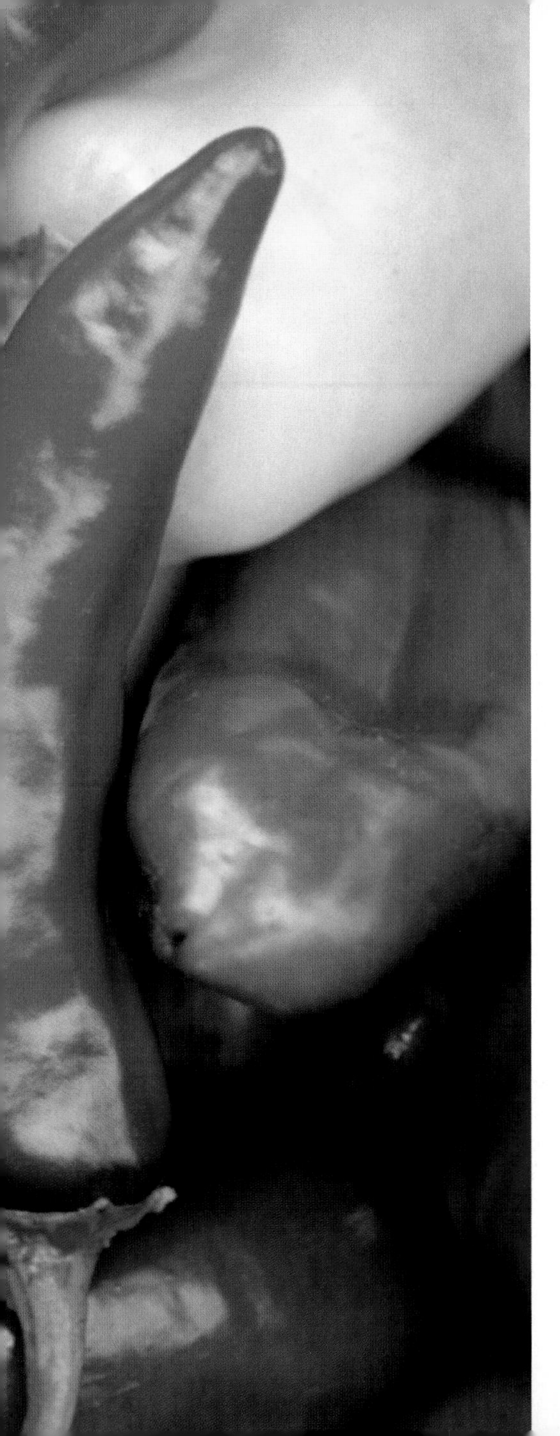

En forme d'hommage

"Poivrons verts, rouges, dorés, énormes, rutilants, d'aspect si étrange que je reste gêné de ne rien trouver de plus à en dire."

André Gide - Journal

_ Le poivron annonce la couleur

Saviez-vous que les poivrons sont pour la plupart tous verts au départ ? En fait, c'est en mûrissant qu'ils passent graduellement au jaune, à l'orange, puis au rouge. Il faut attendre de 30 à 45 jours avant d'obtenir des poivrons aux couleurs éclatantes. Les poivrons verts sont donc cueillis avant maturité, et c'est ce qui explique pourquoi les poivrons de couleur sont plus chers, mais aussi plus parfumés et plus sucrés. Parce qu'il est le moins mûr de tous, le poivron vert croque sous la dent. Il se caractérise par un goût fruité, légèrement amer et parfois épicé. De leur côté, les poivrons jaunes et oranges sont aromatiques mais un peu moins sucrés que leurs homologues rouges. Enfin, il existe aussi les poivrons violets, bruns et noirs qui, eux, redeviennent verts s'ils mûrissent sur leur plant... Et aussi les poivrons-tomates qui possèdent une saveur douce rappelant celle de la pomme. En conclusion, quelles que soient leurs couleurs, les poivrons mettent de la bonne humeur et de la fantaisie dans tous les plats !

_ Sous toutes ses formes

Les poivrons ne se différencient pas que par leur couleur, mais également par leur forme et par l'épaisseur de leur chair.
Le poivron de type "cloche", carré, épointé, presque cubique, possède une chair épaisse et croquante. Il provient principalement des Pays-Bas. Le poivron rectangulaire, long, large et plutôt plat, est celui que l'on trouve traditionnellement en France.
Moins fréquent, le poivron triangulaire, parfois appelé "corne", peut être piquant ou doux. Sa gamme de coloris varie du blond très clair au rouge.
Quant au terme de "piment doux", il est en général réservé aux petits fruits, pointus et non piquants, utilisés en particulier pour la préparation du paprika.
Mais voyons ce que nous réservent les poivrons les plus courants...

Poivron vert

Plus amer, plus poivré, plus ferme et donc plus croquant que ses frères, le poivron vert est à l'aise cru dans les salades, mais convient aussi parfaitement aux cuissons (four, gril, friture). Attention à ne pas trop le faire cuire pour lui conserver sa belle couleur vive.
Associé à son homologue le poivron rouge, il est incontournable dans la ratatouille.

Poivron jaune

C'est le plus tendre de tous les poivrons.
Sa chair sucrée, très parfumée, et sa couleur vive donnent une note estivale et chaleureuse aux entrées...
Il est parfait dans les salades mixtes, ou pour accompagner vos sautés préférés.
On peut aussi le confire et le garder dans l'huile d'olive bien épicée.

Poivron orange

Sa couleur vive et sa saveur délicate en font un ingrédient idéal dans la préparation de nombreux plats.
Utilisez-le dans vos salades, sandwiches, pâtes, potages...
et laissez aller votre imagination !

Poivron rouge

C'est le plus sucré de tous les poivrons.
Sa couleur varie du rouge clair au rouge foncé. Comme il est aussi très juteux, on l'utilise souvent dans les coulis et dans toutes les préparations aux œufs (flancs, omelettes, œufs brouillés...).
Essayez-le aussi dans vos quiches et pizzas.
Grillé et accompagné de fromage de chèvre, c'est un pur délice !

Poivron violet ou noir

Malgré sa couleur inhabituelle, sa saveur est très proche de celle du poivron vert.
N'hésitez pas à l'employer dans vos plateaux de crudités, ou en tant que garniture.
Il fera sensation !

Certains poivrons bénéficient d'appellations locales, régionales ou nationales, sans rapport apparent avec leurs couleurs. Vous les trouverez surtout sur les march

Petit marseillais
Vert brillant devenant jaune à maturité, il possède une chair fine à saveur douc
Excellent dans les salades.

Doux d'Espagne
Ce gros poivron long et rectangulaire est vendu rouge, à pleine maturité. Sa chair épaisse en fait un poivron idéa à cuire ou à farcir.

Doux des Landes
A la fois long et fin, ce poivron à chair douce et fine n'est jamais meilleur que coupé en rondelles dans les salades.

Poivron tomate
Rouge, aplati et côtelé, il doit son nom à sa ressemblance avec la tomate. Il donne le meilleur de lui-même lorsqu'il est farci.

Corno di toro
Comme son nom l'indique, il est d'origine italienne et sa forme est celle d'une corne. Jaune à maturité, il est connu pour sa saveur douce et parfumée.

Sweet cherry
Ce petit poivron a la taille d'une grosse cerise. Plutôt sucré, il se consomme frais, en salade ou confit au vinaigre.

Poivron d'Ampuis
Cette vieille variété produit des petits fruits rouges et carrés. Sa chair est fine, douce et délicieusement fruitée.

Poivron tomate

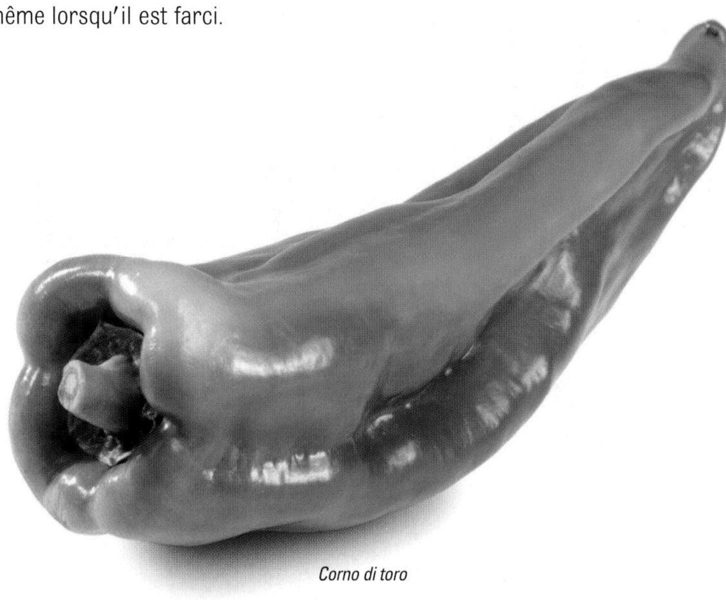

Corno di toro

_ Goûtez-les… et mariez-les !

N'hésitez pas à profiter de la multiplicité de couleurs et de saveurs offerte par les poivrons pour oser des mélanges surprenants.
Adeptes naturels du transformisme culinaire le plus débridé, les poivrons peuvent être utilisés en légumes, en condiments ou même en épices. Avec des résultats hauts en couleurs et des goûts étonnants, ils ne sont jamais aussi à l'aise que dans les situations où ils sont les plus inattendus. Le basilic, l'origan, le thym, l'huile d'olive et les fromages de toutes sortes ne sont que quelques-uns des ingrédients qui rehaussent encore leur saveur.

L'échelle de Scoville

En 1912, un pharmacien américain du nom de Wilbur Scoville, fabricant d'onguents à la capsaïcine, mit au point un test gustatif pour établir l'échelle de force des piments. Sur cette échelle, le poivron mesure 0 tandis que les piments les plus violents – comme le habanero, ce fameux piment antillais – culminent à 10.
L'échelle de Scoville permet de remplacer un piment par un autre sans toucher à l'équilibre d'un plat.

< Et le poivron fit peau neuve ! >

Récolte de poivrons, région de Ribantejo - Portugal

Resté longtemps un légume assez rare, mal aimé à cause de son goût particulier, le poivron a récemment bénéficié de nouvelles variétés soigneusement sélectionnées pour éliminer la partie irritante de son "côté piment" : la fameuse capsaïcine. Dès lors, le poivron a le feu vert pour se répandre rapidement en Europe méridionale. Et c'est bien ce qu'il fait, partout où le climat peut lui permettre de s'épanouir et de donner le meilleur de lui-même.

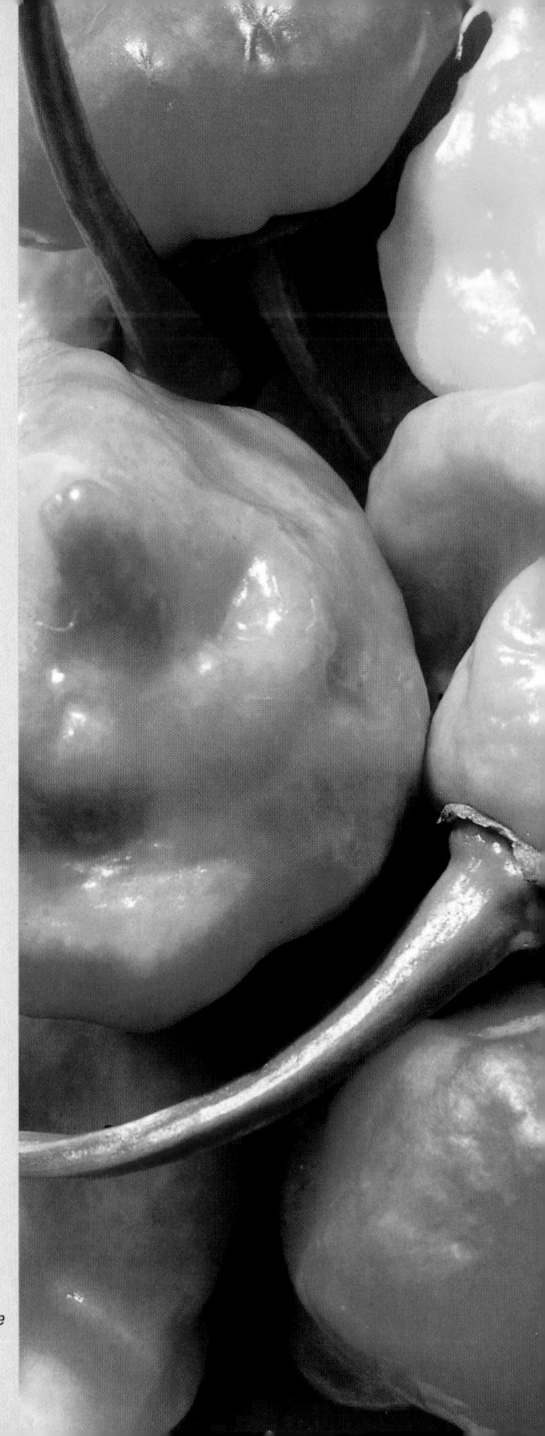
Poivrons de Jamaïque

_ Poivrons de France...

Largement cultivé en Europe depuis le XVIIIe siècle, le poivron a vu sa culture s'intensifier au cours des cent dernières années, notamment dans le bassin méditerranéen, et surtout à partir de la fin de la deuxième guerre mondiale.
En France, il est essentiellement cultivé dans deux grandes régions : la région Provence-Alpes-Côte-d'Azur (Bouches-du-Rhône et Vaucluse) et le Sud-Ouest (Lot-et-Garonne). A moindre échelle, trois autres départements français cultivent également le poivron : le Gard, la Drôme et le Tarn-et-Garonne.
La production s'échelonne de mai à octobre, et la pleine récolte va de juillet à octobre, mois pendant lesquels le poivron est à son apogée gustative. Les premiers arrivés sur le marché sont les poivrons d'Espagne, bientôt suivis des Italiens et des Français.
Sachez enfin que les consommateurs français consomment en moyenne 1,2 kg de poivrons par personne.
En France comme dans la plupart des pays européens, la demande de poivrons est en progression permanente et la production en champ ne peut la satisfaire. La culture du poivron s'oriente donc de plus en plus vers la culture sous serre.

_ ... et d'ailleurs !

Six pays seulement représentent 70 % de la production mondiale.
Il s'agit de la Chine, de la Turquie, du Niger, du Mexique, de l'Espagne et des Etats-Unis.
En Europe, l'Espagne est le premier producteur de poivrons, loin devant l'Italie, les Pays-Bas, la Grèce, et la France qui arrive en queue de peloton avec un petit 2 % du marché.
A tout seigneur, tout honneur, l'Espagne est également le premier exportateur européen.
La Hongrie, qui utilise le poivron dans son plat national, le *goulasch*, fait un peu bande à part car sa production reste limitée au seul marché intérieur.
En dehors de la pleine saison, le poivron vert est importé du sud des Etats-Unis, tandis que les poivrons rouges, jaunes et oranges proviennent du Mexique dont ils sont originaires. D'autres pays tels que la Chine, la Turquie, le Nigéria et la Roumanie se sont récemment lancés dans la culture du poivron.

Le saviez-vous ?

En Europe, la récolte des poivrons cultivés en serre s'effectue au mois de mars, tandis que celle de la production en plein champ commence en mai.
La majorité des poivrons de serre est cultivée dans de la laine minérale, d'autres poussent dans de la mousse ou... dans de la fibre de noix de coco !

Poivrons, région de Ribantejo - Portugal

< Le poivron, c'est de l'histoire ancienne ! >

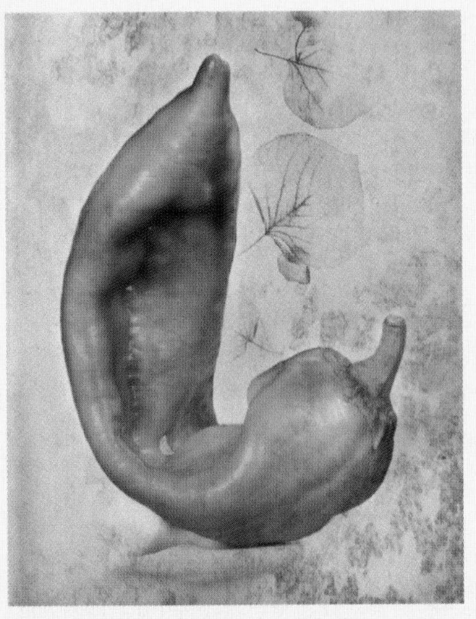

Pourtant issus d'une même espèce et du même continent américain, piments et poivrons vont connaître des destins différents. Si le piment va rester l'épice incendiaire qu'il est encore aujourd'hui, le poivron va s'embourgeoiser, prendre du poids, de l'épaisseur, et même du ventre.

Par le travail des jardiniers, des sélectionneurs, voire des généticiens, le poivron va donc perdre le caractère brûlant de ses ancêtres, s'adoucir… et devenir un légume sage comme une image !

Le saviez-vous ?

Les Aztèques classaient les piments en trois catégories : les "doux", les "brûlants" et les… "brûlants à se sauver en courant" !

_ Retour en arrière

Le poivron fut l'une des premières plantes à être cultivée en Amérique du Sud. Les plus anciennes graines exhumées par les archéologues dormaient au Mexique et au Pérou dans des habitations datant de 7 000 à 6 000 ans avant Jésus-Christ. Avec le haricot et quelque 25 espèces retrouvées dans des conditions similaires, elles attestent que le poivron – sous sa forme ancienne de piment – faisait partie des premières plantes cueillies par les hommes pour se nourrir.

_ Où l'on reparle de Christophe Colomb...

C'est en 1492 que Christophe Colomb découvre (officiellement) le continent américain. Mais ne nous y trompons pas, ses voyages sont en partie destinés à trouver les épices que Marco Polo avait rapportées deux cents ans plus tôt d'Extrême-Orient. Vraisemblablement sur l'île qui allait devenir Cuba, l'accostage va faire découvrir à nos explorateurs de nouveaux légumes comme le maïs, les pommes de terre, les tomates et les piments. Ceux-ci remarquent vite que les indigènes du Nouveau Monde épicent leurs aliments avec de drôles de légumes, vénérables ancêtres des poivrons que nous connaissons aujourd'hui.

De retour en Europe, Christophe Colomb vante les mérites de ces nouveaux végétaux et insiste sur le fait que leur force est bien supérieure à celle des graines de poivre. Il faut savoir que dans toute l'Europe du Moyen-Age, le prix des épices, et celui du poivre en particulier, atteignait des sommets, à tel point qu'elles étaient souvent utilisées comme monnaie d'échange. L'Espagne, puis l'Italie, vont bientôt s'enflammer pour ce nouveau légume-fruit.

_ Le poivron se développe

C'est donc en tant que substitut au poivre, rare et cher, que la culture du poivron peut commencer. Elle va bientôt s'étendre à toute l'Europe méditerranéenne, partout où le climat la rend possible. Mais c'est aussi en se généralisant que le poivron va perdre ses saveurs chaudes et piquantes pour s'adoucir, et devenir un bon gros légume-fruit débonnaire. Le poivron laisse alors le champ libre à son frère le "piment de feu" pour présider aux cuisines relevées. Surnommé le "poivre du pauvre", le poivron peut dès lors mener la révolution du goût. A moindre frais, chacun peut désormais corser sa viande ou son bouillon... et personne ne va s'en priver !

_ L'archipel du goulasch

De l'Amérique du Sud au Portugal et à l'Espagne, le poivron va se développer dans toute la Méditerranée jusqu'en Europe de l'Est. Il atteint la Hongrie en 1585 et c'est dans ce pays, où il constitue toujours la base du plat national – le *goulasch* – qu'il va atteindre ses lettres de noblesse. Sous forme de paprika, qui n'est autre que de la poudre de poivron, il acquiert alors notoriété et célébrité.

Marché couvert - Budapest

Pour la petite histoire

Pour les coloris de ses fresques, Léonard de Vinci utilisait du poivron séché et broyé, notamment lorsqu'il peignait le bataille d'Anghiari, œuvre perdue du Palazzo Vecchio à Florence.

< Quelle santé, le poivron ! >

Peu calorique, riche en minéraux, en fibres et champion toutes catégories pour sa teneur exceptionnelle en vitamine C, le poivron a de l'énergie à revendre ! Seule (petite) ombre au tableau : il est beaucoup plus digeste lorsqu'il a été égrené, pelé, cuit ou grillé. A part cela, question santé, le poivron gagne à être connu !

A la découverte de la vitamine C !

C'est un chercheur hongrois, S. Gybrgyis, qui, en 1932, découvre et extrait du poivron la vitamine C. Il l'isole sous forme de poudre blanche cristallisée et réussit à en obtenir 500 g, mais en utilisant pas moins de 2 tonnes de poivrons !
Il donne à cette nouvelle poudre le nom d'acide ascorbique, c'est-à-dire "capable de prévenir le scorbut".

_ Un bon gros légume "minceur"

Le poivron est un légume très peu calorique : une portion de 50 g de poivron cru ne fournit que 10 calories, soit une cacahuète. Un plat entier de poivrons cuits ne dépasse pas 42 calories, soit encore moins qu'un yaourt maigre.
De plus, sa richesse en fibres et l'obligation de le mastiquer longuement en font un aliment très rassasiant. Le poivron peut donc être recommandé dans tous les régimes minceur, surtout pour les gros mangeurs qui aiment bien être calés.

_ Champion de la vitamine C !

Bien plus que l'épinard ou le chou, pourtant bien pourvus, le poivron est le légume frais le mieux doté en vitamine C, surtout lorsqu'il est à pleine maturité. Sachez qu'une portion de 200 g de poivrons cuits apporte plus de 100 mg de vitamine C, ce qui couvre les besoins journaliers de chacun de nous.
Notez également que le poivron rouge contient deux fois plus de vitamines A et C que le poivron vert.

_ Un cocktail de bienfaits

Sachez que pour 200 g de poivrons cuits, les apports en provitamine A représentent 15 à 20 % des quantités conseillées.
Rappelons que vitamine C et provitamine A font partie des vitamines aux propriétés anti-oxydantes, recherchées dans l'alimentation pour leurs effets protecteurs.
Seul légume apportant de la vitamine P, le poivron contient également de nombreux oligo-éléments : du potassium en grande quantité, du phosphore, du magnésium, du calcium, du fer, du manganèse et du zinc.

_ Haro sur la capsaïcine !

Riche en fibres variées, le poivron améliore le transit intestinal, mais peut parfois être mal toléré par des intestins sensibles.
En moindre quantité que son cousin le piment – 0,2 % pour le poivron, de 2 à 2,5 % pour le piment – ses graines renferment de la capsaïcine, substance à saveur brûlante et irritante pour les muqueuses.
Depuis quelques années, les nouvelles sélections culturales visent à obtenir des variétés de poivrons dépourvues de ces substances irritantes.
Quoi qu'il en soit, nous vous conseillons d'égrener vos poivrons, de les peler et de les consommer de préférence cuits.

Bon à savoir

Légume d'été typique, le poivron fait désormais partie de ces aliments que l'on trouve toute l'année sur nos étals. Dans ce cas, c'est une bonne chose, car on manque souvent de vitamine C en hiver, et une salade de poivrons peut donc se révéler fort utile pour pallier ce déficit.

Le saviez-vous ?

Le goût du poivron, doux, aigre ou piquant, est inversement proportionnel à sa taille. A l'exemple du poivron conique de l'Etna, plus il est petit, plus il brûle la langue !
Les anciens dégustaient de petits poivrons très piquants pour combattre les parasites de l'intestin.

< Sortez de la routine ! >

Parce qu'il met de la couleur, de la bonne humeur et de la fantaisie dans tous les plats, le poivron est devenu un ingrédient indispensable de la cuisine méridionale. La preuve : imaginez ce que seraient sans lui des plats aussi célèbres que la ratatouille provençale, la piperade basquaise, la paella espagnole, les antipasti italiens ? Avec le poivron, c'est le moment d'essayer des plats qui changent un peu et de combiner des saveurs nouvelles. Alors, laissez aller votre imagination et soyez créatifs. Il vous le rendra bien !

_ A l'achat, faites le bon choix !

Choisissez de préférence des poivrons charnus avec une peau lisse et brillante, sans taches ni craquelures. Sous une légère pression des doigts, leur chair doit rester ferme. Si vous avez l'estomac sensible, prenez plutôt des poivrons bien mûrs, c'est-à-dire rouges ou jaunes.
Ils sont beaucoup plus doux que les poivrons verts récoltés immatures.

_ A conserver

Le poivron se garde très bien plusieurs jours au réfrigérateur. Mais, à température ambiante, n'oubliez pas qu'il perd peu à peu son eau et qu'il se flétrit.
Enfin, sachez que les poivrons verts se conservent plus longtemps que les autres. Vous pouvez aussi les congeler sans problème à condition de les laver au préalable.

_ C'est la mode !

Au cours des dernières décennies, l'éventail des recettes dans lesquelles on trouve du poivron n'a cessé de s'élargir.
On ne s'en plaindra pas, car à côté des grands classiques comme la ratatouille ou la piperade, on trouve maintenant des poivrons dans nombre de plats à caractère exotique. Ils ont notamment la faveur des jeunes générations qui l'apprécient, mode oblige, dans leurs pizzas et dans les fameux *Tex Mex* à base de viande hachée.

D'un pays à l'autre

Légume-roi dans tout le bassin méditerranéen, le poivron vert ou rouge est indispensable au parfum des salades dites exotiques. Aussi bien au Maroc qu'en Italie, les poivrons sont cuits dans le four, pelés et débarrassés de leur peau, puis assaisonnés d'ail, d'huile d'olive et d'une pincée d'origan. Au Liban, cette salade est un élément des *mezze*, cette mosaïque d'entrées que l'on grignote et que l'on picore en chœur, chacun puisant dans l'assiette avec un morceau de pain.
Le poivron est aussi beaucoup utilisé dans la cuisine asiatique avec notamment les poêlées de légumes *chop-suey*, les émincés de viande, principalement de bœuf à la sauce pimentée.
En Grèce, l'un des plats nationaux est le poivron farci que l'on prépare avec de la viande, du riz et des pignons.

_ Les bonnes associations

S'ils savent très bien jouer les solitaires, les poivrons aiment aussi s'acoquiner de compagnons de jeux. Ils ne sont jamais meilleurs que lorsqu'ils font équipe avec des plats très variés de viandes (noix de veau, poulet, bœuf haché), de poissons méditerranéens (thon, dorade, rouget), de légumes du soleil, mais aussi de riz, d'œufs, d'ail et de fines herbes.

_ Au four comme au barbecue, grillez-les !

C'est grillés au four, ou mieux encore au barbecue, que les poivrons révèlent tout leur parfum et atteignent l'excellence. Vos poivrons sont prêts quand leur peau devient gonflée et noircie. Vous pouvez alors les peler. Pour que la peau se décolle de la chair et s'enlève plus facilement pensez à les envelopper dans du papier aluminium jusqu'à refroidissement. Servez-les ensuite tout simplement coupés en lambeaux, parsemés d'ail et arrosés d'un filet d'huile d'olive. C'est un régal ! Au barbecue, les poivrons sont aussi formidables pour garnir vos brochettes bien sûr.

Faites des farces à vos poivrons !

Selon les goûts, les poivrons peuvent se déguster farcis, froids ou chauds. Avec une farce à base de miettes de thon, de mayonnaise, de céleri haché et d'olives noires, ils seront idéals pour un pique-nique. En plat principal, vous pouvez les farcir à la viande en utilisant vos restes de rôti et si vous êtes végétariens, essayez les poivrons farcis aux légumes grillés (aubergines, oignons, tomates...). Cuits au four avec un peu d'huile d'olive et un filet de vinaigre balsamique, c'est un vrai délice !

Cuisine au wok. Et que ça saute !

Qui ne connaît pas aujourd'hui la fameuse poêle chinoise appelée wok ? Phénomène de mode, peut-être, mais le wok possède des vertus culinaires ancestrales. Dans les plats sautés traditionnels, il est aussi parfaitement adapté à la cuisine des légumes tels que le poivron, surtout lorsqu'il est coupé en longues et fines lamelles. Avec le wok, les légumes restent délicieusement croquants. C'est là tout le charme des poêlées chinoises qui font aussi bon ménage avec de petits morceaux de viande ou de poisson.

Cuisine au wok

Le poivron à "l'épreuve du feu"

Pour faciliter la digestion du poivron, il est préférable d'en enlever la peau. Plusieurs méthodes sont possibles. Vous pouvez tout simplement les éplucher avec un couteau économe, les passer à l'eau bouillante salée, ou encore leur faire subir "l'épreuve du feu". Pour cela, après avoir lavé le poivron et l'avoir piqué avec une fourchette, passez-le à la flamme de votre cuisinière à gaz, en le tournant et en le retournant plusieurs fois sur lui-même. Vous verrez très vite la peau cloquer puis noircir. Il vous suffira ensuite de la gratter avec un couteau. Elle se détachera toute seule. Sachez que les puristes n'aiment pas beaucoup faire passer les poivrons à "l'épreuve du feu" car ils estiment que cette méthode en altère le goût originel et en ramollit la chair par début de cuisson.

< A vous de jouer >

Pour 4 personnes
Préparation : 15 minutes
Cuisson : 45 minutes

Bruschetta de poivrons au sésame

Votre marché

- *2 poivrons jaunes*
- *2 cuillères à soupe d'huile d'olive*
- *1 cuillère à soupe de jus de citron*
- *4 tranches de pain de campagne*
- *1 gousse d'ail*
- *Graines de sésame grillées*
- *Menthe*
- *Sel, poivre gris*

1. Préchauffez le four à 210 °C (th. 7). Faites noircir les poivrons lavés sur une plaque recouverte de papier sulfurisé 20 minutes puis réservez-les 10 minutes dans un sac en plastique. Retirez la peau et les pépins.

2. Hachez les poivrons avec l'huile d'olive, le jus de citron, le sel et le poivre.

3. Faites dorer le pain et frottez-le à l'ail. Dans une poêle antiadhésive, faites griller les graines de sésame à sec. Ciselez la menthe.

4. Tartinez le pain de crème de poivron, saupoudrez les graines de sésame et la menthe.

Suggestion

Savoureux à l'apéritif ou en entrée.

Pour 4 personnes
Préparation : 15 minutes
Cuisson : 20 minutes

Arc en ciel de purée de poivrons

1. Préchauffez le gril du four et lavez les poivrons. Pour chaque sorte de poivron, enfournez dans un plat puis déglacez au vinaigre balsamique. Filtrez les jus et gardez-les. Réservez les poivrons 15 minutes dans trois sacs en plastique.

2. Mixez le fromage avec la moitié du piment, l'ail, le sel et 3 cl d'huile d'olive.

3. Pelez, épépinez et mixez les poivrons avec leur jus respectif et l'huile d'olive restante. Assaisonnez chaque purée de piment et de sel.

4. Remplissez les verres de trois couches de purée en séparant chacune de fromage. Fermez à l'aide d'un film alimentaire et réservez 6 heures au frais.

5. Décorez de brins de ciboulette ciselée et servez cette préparation accompagnée de mouillettes de pain de campagne grillées.

Votre marché

- *2 poivrons verts*
- *2 poivrons rouges*
- *3 poivrons jaunes*
- *200 g de fromage de chèvre frais*
- *3 cuillères à soupe de vinaigre balsamique*
- *8 cl d'huile d'olive assaisonnée aux herbes*
- *1 cuillère à café de piment d'Espelette*
- *1/2 gousse d'ail*
- *Brins de ciboulette*
- *Sel*

Pour 6 personnes
Préparation : 10 minutes
Cuisson : 30 minutes

Votre marché

- *1 poivron rouge*
- *1 poivron jaune*
- *1 poivron vert*
- *17 filets d'anchois à l'huile*
- *150 g de beurre*
- *2 gousses d'ail*
- *5 brins de cerfeuil*
- *6 tranches de pain de campagne*
- *Poivre*

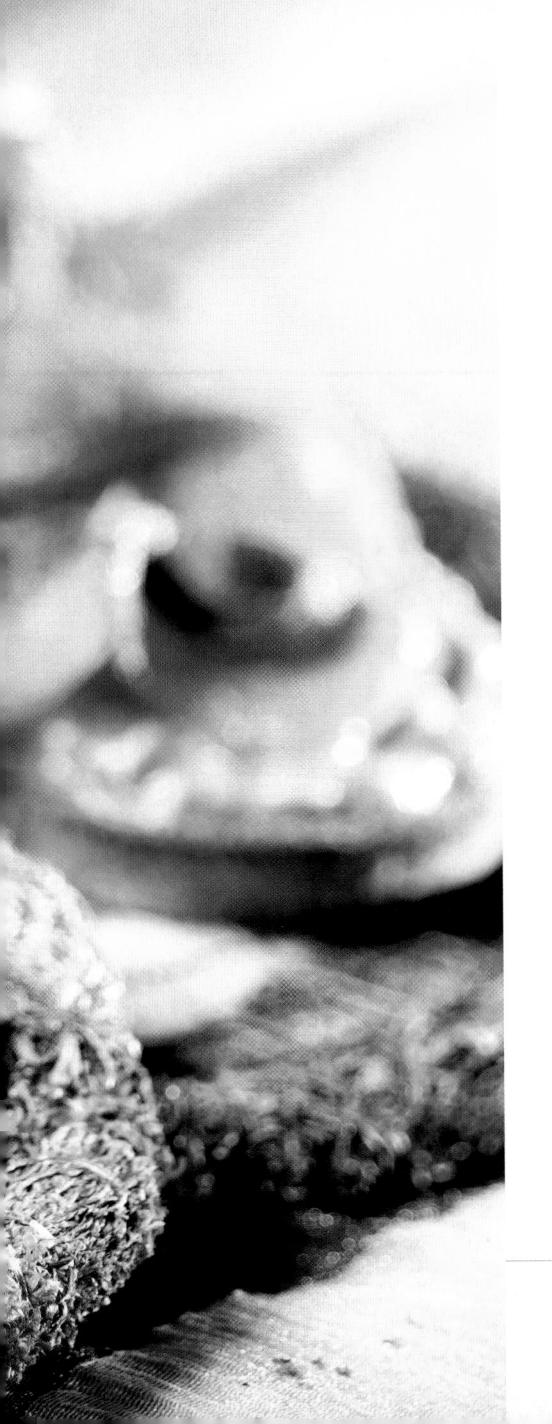

< Tartines du soleil >

1. Préchauffez le four à 210 °C (th. 7). Lavez les poivrons, faites-les noircir sur une plaque recouverte de papier sulfurisé 20 minutes puis réservez-les 10 minutes dans un sac en plastique. Coupez-les en deux dans la hauteur, retirez la peau et les pépins.

2. Réservez 4 filets d'anchois et mixez les autres avec le beurre.

3. Dans un plat, placez les poivrons parsemés de dés de beurre d'anchois et enfournez 10 minutes.

4. Faites dorer les tranches de pain, frottez-les à l'ail et recouvrez-les de beurre d'anchois.

5. Présentez les poivrons sur les tartines, décorez de filets d'anchois et de pluches de cerfeuil et finissez avec un tour de moulin à poivre.

Suggestion

Délicieux à l'apéritif ou en entrée !

Pour 4 personnes
Préparation : 30 minutes
Cuisson : 30 minutes

< Mousse de thon en millefeuille >

1. Préchauffez le four à 210 °C (th. 7). Lavez les poivrons, faites-les noircir sur une plaque recouverte de papier sulfurisé 20 minutes puis réservez-les 10 minutes dans un sac en plastique. Retirez la peau, coupez-les en quatre et ôtez les pépins.

2. Dans une jatte, préparez une mayonnaise avec la moutarde, le jaune d'œuf, le sel, le poivre et enfin l'huile ajoutée en fouettant le tout. Ajoutez à la fin le jus de citron.

3. Incorporez le thon et la ciboulette à la mayonnaise.

4. Réalisez un millefeuille en alternant les quartiers de poivrons et une quenelle de mousse de thon.

5. Décorez de brins de ciboulette et servez frais.

Votre marché

- *4 poivrons rouges*
- *400 g de thon au naturel*
- *1 jaune d'œuf*
- *1 cuillère à café de moutarde*
- *15 cl d'huile*
- *1/2 citron*
- *8 brins de ciboulette*
- *Sel, poivre*

Pour 4 personnes
Préparation : 30 minutes
Cuisson : 45 minutes

Votre marché

- *4 poivrons rouges*
- *2 courgettes*
- *2 gousses d'ail*
- *80 g de parmesan râpé*
- *2 filets d'anchois frais*
- *10 cl d'huile d'olive*
- *Vinaigre de Xérès*
- *Feuilles de roquette*
- *4 tranches de pain aux olives*
- *Sel, poivre*

Poivrons avec chips de parmesan et mouillettes d'anchois

1. Préchauffez le four à 180 °C (th. 7) et faites cuire les poivrons enveloppés de papier aluminium 45 minutes. Laissez-les tiédir et pelez-les.

2. Emincez les courgettes et les poivrons en lanières puis hachez l'ail.

3. Dans une poêle, faites revenir les courgettes avec un peu d'huile d'olive.

4. Disposez dans la poêle antiadhésive le parmesan râpé en forme de chips, puis faites dorer ces chips en veillant à les enlever avec précaution.

5. Dans un saladier, mélangez les courgettes, les poivrons, l'ail, l'huile d'olive, le vinaigre et assaisonnez.

6. Détaillez les filets d'anchois en 2 dans la longueur, étalez-les sur les tranches de pain puis huilez, assaisonnez et faites dorer sous le gril 3 minutes.

7. Servez les légumes, les chips de parmesan, les mouillettes d'anchois et la roquette sur une assiette ou dans un petit bol.

< Salade mixte aux lamelles des Grisons >

1. Lavez et coupez les poivrons dans la largeur. Otez les pépins, les membranes intérieures et détaillez-les en lanières. Placez-les dans une terrine, assaisonnez.

2. Emulsionnez l'huile d'olive avec le jus de citron, le sel et le poivre. Versez une grande partie de cette sauce dans la terrine et réservez 30 minutes au frais.

3. Détaillez le parmesan en copeaux. Effeuillez le thym.

4. Dans un plat, disposez en alternant une tranche de viande des Grisons et une lanière de poivron. Ajoutez le parmesan, le thym et assaisonnez de vinaigrette.

Pour 4 personnes
Préparation : 30 minutes
Cuisson : 30 minutes

Votre marché

- *1 poivron rouge*
- *1 poivron jaune*
- *1 poivron vert*
- *200 g de fines tranches de viande des Grisons*
- *2 brins de thym frais*
- *50 g de parmesan*
- *2 cuillères à soupe de citron*
- *4 cuillères à soupe d'huile d'olive*
- *Sel, poivre*

Pour 6 personnes : (1 bocal)
Préparation : 20 minutes
Cuisson : 20 minutes

< Poivrons à l'huile d'olive >

1. Préchauffez le four à 210 °C (th. 7). Lavez les poivrons, faites-les noircir sur une plaque recouverte de papier sulfurisé 20 minutes puis réservez-les 10 minutes dans un sac en plastique. Retirez la peau, les pépins et coupez-les en lanières. Essuyez-les puis salez et poivrez.

2. Pelez et coupez en 2 les gousses d'ail.

3. Garnissez le bocal de poivrons en alternant les couleurs jusqu'au tiers. Versez de l'huile d'olive et une gousse d'ail. Recommencez encore 2 fois puis ajoutez le thym et le laurier au milieu.

4. Fermez correctement et réservez une semaine. Veillez à conserver au frais après ouverture.

Votre marché

- *8 poivrons rouges*
- *8 poivrons jaunes*
- *8 poivrons verts*
- *40 cl d'huile d'olive*
- *3 gousses d'ail*
- *3 feuilles de laurier sèches*
- *1 brin de thym*
- *Sel, poivre*

Suggestion

Idéal en entrée, ce plat accompagne également une omelette ou une volaille.

Pour 6 personnes
Préparation : 20 minutes
Repos : 8 heures
Cuisson : 10 minutes

Votre marché

- *3 poivrons rouges*
- *3 poivrons jaunes*
- *4 gousses d'ail*
- *9 tomates*
- *1 brin de thym*
- *1 botte de basilic*
- *15 cl d'huile d'olive*
- *100 g de parmesan*
- *Sel, poivre du moulin*

< Marinade de poivrons grillés >

1. Détaillez les poivrons en trois, ôtez les pépins et les membranes intérieures puis disposez-les dans un plat.

2. Emincez les gousses d'ail, effeuillez le thym et ciselez 12 feuilles de basilic. Saupoudrez les poivrons d'ail, de thym et de basilic. Assaisonnez et versez l'huile d'olive.

3. Fermez avec un film alimentaire et faites macérer 8 heures au frais.

4. Préchauffez le gril du four. Coupez les tomates en deux, videz-les, salez et laissez-les dégorger 15 minutes retournées sur une grille.

5. Egouttez et placez les poivrons sur la plaque du four. Mettez une tomate sur chacun des poivrons et assaisonnez avec l'huile de la marinade et l'ail. Enfournez 10 minutes.

6. Détaillez le parmesan en copeaux et ajoutez-le sur les poivrons, avec le reste de basilic ciselé. Poivrez et servez aussitôt.

Pour 4 personnes
Préparation : 10 minutes
Repos : 1 heure

Votre marché

- *4 petits poivrons jaunes*
- *2 cuillères à soupe de ciboulette ciselée*
- *1 brin d'aneth*
- *40 g de pistaches*
- *200 g de feta*
- *40 g de raisins secs*
- *Jus d'un citron*
- *2 cuillères à soupe d'huile d'olive*
- *Sel, poivre*

< Poivrons jaunes à la crétoise >

1. Faites tremper les raisins secs dans un bol d'eau tiède.

2. Coupez les poivrons en deux, ôtez les pépins et les membranes intérieures. Versez un peu de jus de citron et de sel.

3. Détaillez la feta en dés. Egouttez et épongez les raisins. Dans une poêle antiadhésive chaude, faites griller à sec les pistaches et réservez. Mélangez la feta, les pistaches et les raisins et garnissez les poivrons.

4. Dans une jatte, mélangez 2 cuillères de jus de citron, l'huile d'olive, la ciboulette, le sel et le poivre. Versez cette sauce sur les poivrons.

5. Disposez un film plastique sur les poivrons et réservez une heure au frais.

6. Décorez de pluches d'aneth et servez bien frais.

< Salade mexicaine >

1. Otez les pédoncules et coupez en 2 les poivrons et les piments. Enlevez les pépins et les cloisons intérieures puis détaillez-les en lanières. Emincez les oignons et hachez l'ail. Rincez les haricots et faites-les égoutter.

2. Dans un saladier, fouettez l'huile d'olive avec le vinaigre de vin blanc, le jus de citron, l'origan, la fleur de thym, le sel et le poivre. Dans cette sauce faites mariner au frais 30 minutes les poivrons, les piments et un oignon .

3. Otez la couenne du jambon et coupez-le en lamelles. Dans une poêle, faites-le frire à l'huile sur feu vif puis réservez-le sur du papier absorbant.

4. Dans cette même poêle, faites dorer les anneaux du second oignon avec l'ail puis mettez les haricots afin de les chauffer légèrement.

5. Incorporez l'oignon et les haricots. Mélangez, assaisonnez, ajoutez les croustillants de jambon et servez aussitôt.

Pour 6 personnes
Préparation : 15 minutes
Macération : 30 minutes
Cuisson : 5 minutes

Votre marché

- *2 poivrons rouges*
- *1 poivron vert*
- *1/2 boîte de haricots blancs*
- *1/2 boîte de haricots rouges*
- *3 tranches de jambon cru*
- *2 oignons rouges*
- *1 gousse d'ail*
- *1 piment frais rouge*
- *1 piment frais vert*
- *1 cuillère à soupe d'huile*
- *Sel, poivre*

Pour la sauce :

- *2 cuillères à soupe de jus de citron*
- *2 cuillères à soupe de vinaigre de vin blanc*
- *5 cuillères à soupe d'huile d'olive*
- *1 cuillère à café d'origan*
- *1 cuillère à café de fleur de thym frais*
- *Sel, poivre*

Pour 6 personnes
Préparation : 25 minutes
Cuisson : 25 minutes

< Tatin aux poivrons et olives >

1. Préchauffez le four à 210 °C (th. 7). Faites noircir les poivrons lavés sur une plaque recouverte de papier sulfurisé 20 minutes puis réservez-les 10 minutes dans un sac en plastique. Retirez la peau et les pépins puis laissez-les égoutter et détaillez-les en lanières.

2. Mixez grossièrement les olives et mélangez-les à la tapenade. Rectifiez l'assaisonnement.

3. Placez les lanières de poivrons dans un moule huilé. Recouvrez du mélange d'olives et fermez avec la pâte brisée. Faites cuire au four 25 minutes.

4. A la sortie du four, retournez dans un plat de service et recouvrez d'un filet d'huile d'olive.

Votre marché

- *2 poivrons rouges*
- *2 poivrons jaunes*
- *2 poivrons verts*
- *250 g de pâte brisée*
- *300 g de tapenade*
- *100 g d'olives noires dénoyautées*
- *Huile d'olive*
- *Sel, poivre*

Pour 4 personnes
Préparation : 10 minutes
Cuisson : 10 minutes

Votre marché

- *2 poivrons rouges*
- *200 g de sardines à l'huile*
- *3 cuillères à soupe de mayonnaise*
- *10 olives noires dénoyautées*
- *3 brins de coriandre*
- *3 cuillères à soupe d'huile d'olive*
- *Citron*

< Sardines en pirogue >

1. Préchauffez le four à 210 °C (th. 7). Faites noircir les poivrons lavés sur une plaque recouverte de papier sulfurisé 20 minutes puis réservez-les 10 minutes dans un sac en plastique. Coupez-les en deux, retirez la peau, les pépins et les membranes intérieures.

2. Réservez préalablement quelques olives. Hachez grossièrement les sardines, les olives et la coriandre. Incorporez la mayonnaise, le jus d'un demi-citron et assaisonnez. Garnissez les poivrons de cette farce.

3. Concassez les olives restantes. Réalisez une vinaigrette avec le jus du citron restant, l'huile d'olive, le sel et le poivre. Versez-la sur les poivrons et ajoutez les copeaux d'olives.

4. Servez ces poivrons farcis accompagnés d'une roquette.

Petits flans aux poivrons jaunes

Pour 4 personnes
Préparation : 15 minutes
Cuisson : 21 minutes

Votre marché

- *1 poivron jaune (300 g)*
- *2 cuillères à soupe de crème fraîche épaisse*
- *2 œufs*
- *20 g de beurre*
- *1 pincée de piment de Cayenne*
- *Sel, poivre*

1. Préchauffez le four à 210 °C (th. 7), beurrez 4 ramequins et réservez-les au frais.

2. Enlevez le pédoncule, coupez le poivron en deux puis ôtez les pépins et les membranes intérieures. Détaillez-le en gros dés, faites cuire 6 minutes à l'eau salée et enlevez la peau.

3. Mixez le poivron, la crème, les œufs, le piment de Cayenne et assaisonnez.

4. Remplissez les ramequins, couvrez de papier aluminium et faites cuire 15 minutes au bain-marie au four.

5. Retirez l'eau rendue par les flans, démoulez et présentez sur une assiette pour accompagner un poisson.

Pour 4 personnes
Préparation : 15 minutes
Cuisson : 45 minutes

Votre marché

- *2 poivrons rouges*
- *2 poivrons jaunes*
- *300 g de mozzarella*
- *Herbes de Provence*
- *Sel, poivre*
- *8 tranches de lard*

Roulades d'Italie

1. Préchauffez le four à 210 °C (th. 7). Faites noircir les poivrons lavés sur une plaque recouverte de papier sulfurisé 20 minutes puis réservez-les 10 minutes dans un sac en plastique. Retirez la peau et les pépins puis laissez-les égoutter et détaillez-les en bandes.

2. Détaillez la mozzarella en bâtonnets et recouvrez-en les poivrons avec les herbes de Provence et assaisonnez.

3. Roulez, posez une herbe sèche, fermez d'une tranche de lard et plantez un pique. Passez sous le gril.

4. Servez chaud pour accompagner des viandes au barbecue.

Caviar aux trois poivrons

1. Préchauffez le four à 210 °C (th. 7). Faites noircir les poivrons lavés sur une plaque recouverte de papier sulfurisé 20 minutes puis réservez-les 10 minutes dans un sac en plastique. Retirez la peau, les pépins et laissez-les égoutter.

2. Mixez grossièrement la chair avec la coriandre et le persil. Ecrasez les gousses d'ail.

3. Dans une poêle, faites revenir 10 minutes sur feu moyen la pulpe avec le paprika, le cumin et l'ail.

4. Hors du feu, mélangez avec l'huile d'olive, le vinaigre et le jus de citron.

Suggestion

Ce caviar peut se déguster chaud ou froid en salade.

Pour 6 personnes
Préparation : 15 minutes
Cuisson : 40 minutes

Votre marché

- *2 poivrons rouges*
- *2 poivrons jaunes*
- *2 poivrons verts*
- *1 botte de coriandre hachée*
- *1 botte de persil haché*
- *2 cuillères à café de paprika*
- *1 cuillère à café de cumin*
- *3 gousses d'ail*
- *3 cuillères à soupe d'huile d'olive*
- *3 cuillères à soupe de vinaigre*
- *1/2 citron*
- *Sel*

< Terrine au chèvre frais >

1. Pelez les poivrons à cru puis ôtez les pépins et les membranes intérieures. Faites-les cuire à la vapeur 20 minutes, essuyez-les bien et réservez-les.

2. Faites fondre 6 feuilles de gélatine dans un peu d'eau froide au bain-marie. Ciselez la ciboulette.

3. Mixez le fromage de chèvre avec la ciboulette ciselée, la gélatine, le Tabasco, l'huile d'olive, le sel et le poivre.

4. Recouvrez une terrine de film plastique puis remplissez en alternant une couche de poivrons, une couche de chèvre et en finissant par une couche de poivrons des 3 couleurs.

5. Faites fondre les 3 feuilles de gélatine et ajoutez à la terrine. Décorez d'estragon et réservez 4 heures au frais.

Pour 6 personnes
Préparation : 40 minutes
Cuisson : 20 minutes
Repos : 4 heures

Votre marché

> *2 poivrons rouges*
> *2 poivrons jaunes*
> *2 poivrons verts*
> *750 g de chèvre frais*
> *9 feuilles de gélatine*
> *1 botte de ciboulette*
> *3 brins d'estragon*
> *4 cuillères à soupe d'huile d'olive*
> *Tabasco*
> *Sel, poivre blanc*

Crème de poivrons et beignets de carottes

1. Pelez et détaillez en dés les légumes. Faites-les fondre avec le beurre et l'ail 10 minutes.

2. Versez le bouillon de poule et laissez cuire 20 minutes. Mixez et laissez refroidir. Battez la crème, ajoutez-la et mélangez doucement.

3. Garnissez des verres et réservez au frais.

4. Fouettez la farine avec la levure, le sel et la bière. Réservez 15 minutes puis enrobez les carottes de pâte et plongez-les 2 minutes dans un bain d'huile bien chaud. Egouttez soigneusement, salez et disposez sur la crème.

5. Décorez avec les fanes et servez aussitôt.

Pour 6 personnes
Préparation : 30 minutes
Cuisson : 30 minutes

Votre marché

- *6 poivrons jaunes*
- *2 pommes de terre*
- *3 blancs de poireau*
- *2 gousses d'ail pelées et blanchies*
- *50 cl de bouillon de poule*
- *250 cl de crème liquide*
- *100 g de beurre*
- *6 carottes fanes*
- *100 g de farine*
- *5 g de levure*
- *1,2 cl de bière*
- *Huile de friture*
- *Fleur de sel*

Pour 4 personnes
Préparation : 20 minutes
Cuisson : 10 minutes

Votre marché

- *3 poivrons rouges*
- *1/2 poivron jaune*
- *1/2 poivron vert*
- *Huile d'olive pimentée*
- *300 g de pâte à pizza*
- *50 g de parmesan*
- *1 gousse d 'ail*
- *2 brins de romarin*
- *Farine*
- *Sel, poivre*

< Pizza aux poivrons grillés >

1. Préchauffez le four à 210 °C (th. 7). Lavez les poivrons.

2. Faites noircir les poivrons rouges sur une plaque recouverte de papier sulfurisé 20 minutes puis réservez-les 10 minutes dans un sac en plastique. Retirez la peau, les pépins et laissez-les égoutter.

3. Détaillez le parmesan en copeaux et les poivrons jaune et vert en lanières. Assaisonnez ces derniers de sel et d'huile d'olive. Pelez la gousse d'ail, hachez le romarin.

4. Otez la peau et les pépins des poivrons rouges. Détaillez-en deux en lanières et mixez le troisième avec l'ail et un peu de sel.

5. Versez ce coulis sur la pâte à pizza étalée sur un plan fariné. Ajoutez les lanières des poivrons grillés, le poivron cru et saupoudrez de romarin. Versez un peu d'huile pimentée et enfournez 10 minutes.

6. Décorez de copeaux de parmesan au moment de servir.

Pour 6 personnes
Préparation : 10 minutes
Cuisson : 50 minutes

Votre marché

- *6 poivrons jaunes*
- *1 botte de basilic*
- *1 pincée de paprika*
- *150 g de polenta*
- *2 échalotes*
- *2 gousses d'ail*
- *4 cuillères à soupe d'huile d'olive*
- *Coulis de tomates*
- *Sel*

< Poivrons farcis à la polenta >

1. Préchauffez le four à 210 °C (th. 7). Coupez le pédoncule et enlevez les pépins des poivrons. Ciselez le basilic, émincez les échalotes et l'ail.

2. Faites cuire la polenta dans 2 fois et demie son volume d'eau bouillante salée, 10 à 15 minutes sur feu doux sans cesser de remuer. Lorsque la polenta est cuite et qu'elle se détache donc de la casserole, ajoutez la moitié de l'huile d'olive et réservez.

3. Dans une petite casserole, faites revenir les échalotes et l'ail dans l'huile d'olive restante. Ajoutez le paprika, laissez colorer, puis le basilic et réservez. Incorporez la polenta aux condiments et vérifiez l'assaisonnement.

4. Garnissez les poivrons, mettez-les dans un plat, versez un verre d'eau et faites cuire au four 25 minutes.

5. Servez les poivrons accompagnés de coulis de tomates.

Pour 4 personnes
Préparation : 10 minutes
Cuisson : 30 minutes

Velouté couleur de feu

1. Lavez et coupez les poivrons en 2. Enlevez les pépins et les membranes intérieures puis détaillez-les en dés en veillant à réserver quelques lanières pour le décor.

2. Emincez et faites revenir les oignons sans coloration dans une casserole d'huile. Mettez les poivrons, laissez cuire 5 minutes puis ajoutez le fond de veau, un litre d'eau chaude, le sel et le poivre. Remuez, portez à ébullition puis couvrez à moitié, diminuez le feu et faites cuire à frémissement 20 minutes.

3. Mixez, incorporez la crème et le paprika. Rectifiez l'assaisonnement et bien mélanger.

4. Décorez de lanières de poivrons et servez très chaud.

Votre marché

- *2 poivrons rouges*
- *2 poivrons jaunes*
- *2 oignons*
- *2 cuillères à soupe de fond de veau en poudre*
- *1 cuillère à café de paprika*
- *2 cuillères à soupe de crème épaisse*
- *2 cuillères à soupe d'huile d'olive*
- *Sel, poivre*

Surprise d'Orient

1. Hachez l'oignon et faites-le revenir à l'huile d'olive 5 minutes sur feu doux.

2. Dans une jatte, laissez gonfler la semoule dans 5 cl d'eau.

3. Enlevez le pédoncule, les pépins, les membranes intérieures et rincez les poivrons.

4. Hachez l'agneau avec l'œuf, le cumin, le piment de Cayenne et assaisonnez. Incorporez l'oignon et la semoule. Garnissez les poivrons et fermez avec les chapeaux.

5. Préchauffez le four à 210 °C (th. 7). Placez les poivrons huilés dans un plat, ajoutez 10 cl d'eau chaude et faites cuire au four 40 minutes.

Suggestion

Ces poivrons à l'orientale se dégustent accompagnés de semoule parfumée à l'huile d'olive.

Pour 4 personnes
Préparation : 25 minutes
Cuisson : 40 minutes

Votre marché

- *4 poivrons*
- *300 g d'épaule d'agneau*
- *1 œuf*
- *100 g d'oignons*
- *50 g de semoule moyenne*
- *1 cuillère à café de cumin en poudre*
- *1/4 de cuillère à café de piment de Cayenne*
- *Huile d'olive*

Pour 6 personnes
Préparation : 30 minutes
Repos : 6 heures
Cuisson : 45 minutes

Votre marché

- *2 poivrons rouges*
- *2 poivrons jaunes*
- *2 poivrons verts*
- *1 cuillère à soupe d'huile d'olive*
- *30 cl de coulis de tomate*
- *2 brins de basilic*
- *1 botte de ciboulette*

Pour la brandade :
800 g de filet de morue
15 cl de lait
15 cl d'huile d'olive
3 gousses d'ail
1 pomme de terre cuite
Sel, poivre

< Poivrons farcis à la brandade >

1. Pour la brandade, dessalez la morue 6 heures, côté peau vers le haut, dans une passoire trempée dans l'eau froide et renouvelez plusieurs fois.

2. Préchauffez le four à 180 °C (th. 7). Epluchez les gousses d'ail. Faites chauffer le lait. Ecrasez la pomme de terre.

3. Dans une casserole, faites cuire la morue recouverte d'eau froide : portez à ébullition, pochez 5 minutes à feu doux puis égouttez.

4. Emiettez et pilez la morue avec l'ail. Ajoutez le lait et l'huile d'olive en les alternant pour avoir une préparation épaisse. Incorporez, si nécessaire, la pomme de terre et rectifiez l'assaisonnement.

5. Faites noircir les poivrons lavés sur une plaque recouverte de papier sulfurisé 20 minutes puis réservez-les 10 minutes dans un sac en plastique. Ouvrez-les soigneusement sur un côté. Retirez la peau et les pépins puis remplissez-les de brandade. Refermez les poivrons à l'aide de brins de ciboulette.

6. Placez les poivrons dans un plat et enfournez 15 minutes.

7. Servez ces poivrons farcis chauds ou froids, décorés de basilic et accompagnés du coulis de tomates.

Pour 6 personnes
Préparation : 30 minutes
Cuisson : 35 minutes

Votre marché

- *3 poivrons rouges*
- *3 chipolatas*
- *300 g de pâte brisée*
- *4 œufs*
- *200 g de crème fraîche épaisse*
- *2 cuillères à café de paprika doux*
- *1 cuillère à café de marjolaine en poudre*
- *1/2 cuillère à café de cumin en poudre*
- *20 g de beurre*
- *Sel*

< Quiche aux poivrons et chipolatas >

1. Préchauffez le four à 210 °C (th. 7). Lavez les poivrons, faites-les noircir sur une plaque recouverte de papier sulfurisé 20 minutes puis réservez-les 10 minutes dans un sac en plastique. Retirez la peau, les pépins et détaillez la chair en lanières.

2. Dans une poêle, faites dorer au beurre les chipolatas préalablement piquées puis détaillez-les en rondelles.

3. Abaissez la pâte brisée dans un moule à tarte beurré et mettez les rondelles de chipolatas et les lanières de poivrons.

4. Dans une jatte, fouettez les œufs puis mélangez avec la crème, le paprika, la marjolaine, le cumin et le sel. Versez sur la tarte et enfournez 35 minutes.

5. Servez cette tarte bien chaude ou froide.

Penne crème et poivrons doux

Pour 4 personnes
Préparation : 30 minutes
Cuisson : 1 heure

Votre marché

- 3 poivrons jaunes
- 1 poivron rouge
- 400 g de penne
- 8 brins de basilic
- 1 oignon
- 1 gousse d'ail
- 15 cl de crème liquide
- 2 cuillères à soupe d'huile d'olive
- Pincée de thym

1. Préchauffez le four à 210 °C (th. 7). Lavez les poivrons, faites-les noircir sur une plaque recouverte de papier sulfurisé 20 minutes puis réservez-les 10 minutes dans un sac en plastique. Retirez la peau, les pépins et détaillez la chair en lanières. Réservez les rouges et quelques jaunes.

2. Ciselez le basilic, ajoutez-le à la crème et assaisonnez. Hachez finement l'oignon et l'ail puis faites revenir à feu doux dans une casserole d'huile. Incorporez le poivron jaune, le thym et laissez dorer 5 minutes. Ajoutez alors la crème et laissez cuire encore 5 minutes sur feu doux. Mixez le tout.

3. Versez les pâtes dans une grande casserole d'eau bouillante salée. En fin de cuisson, égouttez-les vite et présentez-les dans un plat nappées de sauce. Décorez de lanières de poivrons et de brins de thym. Servez aussitôt.

< Confiture vanillée de poivrons jaunes et ananas >

1. Préchauffez le four à 210 °C (th. 7). Faites noircir les poivrons lavés sur une plaque recouverte de papier sulfurisé 20 minutes puis réservez-les 10 minutes dans un sac en plastique. Retirez la peau, les pépins et laissez-les égoutter.

2. Détaillez l'ananas Victoria en dés, le gingembre en copeaux et fendez la gousse de vanille en quatre. Retirez la peau et les pépins des poivrons et coupez-les en morceaux.

3. Dans une casserole, faites chauffer le mélange de sucre, miel et jus de citron vert. Incorporez les poivrons, l'ananas, le gingembre et la vanille. Faites confire une heure sur feu doux en mélangeant régulièrement.

4. Garnissez les pots de confiture et fermez aussitôt.

Pour 1 pot d'environ 500 g
Préparation : 20 minutes
Cuisson : 1 heure

Votre marché

- *500 g de poivrons jaunes*
- *1/2 ananas Victoria*
- *15 g de gingembre frais*
- *1 gousse de vanille*
- *200 g de sucre*
- *200 g de miel d'oranger*
- *1/2 citron vert*

Ouvrage édité par le groupe TOUPARGEL-AGRIGEL
13, chemin des Prés Secs
69380 Civrieux d'Azergues

Dépôt légal juin 2004

Imprimé en France par Imaye Graphic / Groupe AGIR

Conception, création : PUBLICIS/CACHEMIRE

Prises de vues : Studio Guy Renaux (Eva Tonto et Gilbert Bornas)

Stylisme : TOUPARGEL-AGRIGEL / Studio Guy Renaux

Crédit photographique :
ICONOS (p. 1/16 QUINARD/WALLIS • p. 4-5/10/12 AGE/HOA-QUI • p. 4/7/8 BIOS • p. 6 CHEVALLIER/IMAGES • p. 9 ILICO • p. 10/11 DECOUT/REA • p. 12 ROGER VIOLLET • p. 13 NEUMANN/REA • p. 14 IPS/DIAPHOR • p. 14 SOLUS/IMAGES • p. 15 MAURITIUS/PHOTONONSTOP • p. 16-17/18/19 RETNA/OREDIA • p. 20 SAYOUN/WALLIS)

Prix : 15 €